¿Qué pasó con el jersey?

Jennifer Degenhardt

Cover art:
Marcus Estrellado

For Brayan and Jennifer Sofía.

ÍNDICE

Agradecimientos   i

Capítulo 1   1
Matías
Capítulo 2   5
Brayan
Capítulo 3   9
Matías
Capítulo 4   13
Brayan
Capítulo 5   17
Matías
Capítulo 6   21
Brayan
Capítulo 7   25
Matías
Capítulo 8   31
Brayan
Capítulo 9   35
Matías
Capítulo 10   39
Brayan
Capítulo 11   45
Matías
Capítulo 12   51
Brayan y Matías
Glosario   57

AGRADECIMIENTOS

When I wrote and published the original story *El jersey*, I was still new to the process. As such, I did not extend as many thanks as I probably should have. Allow me to rectify that now.

This story would not exist if not for the happy coincidences of travel, family friends and meeting new people. In fact, Matías's family does travel frequently to Guatemala to visit extended family, and I have had the great fortune of being invited to tag along. While there one year, all of us made our way to Lake Atitlán and stayed at the Casa del Mundo, where we met Isaías, Candelaria and Brayan. On our last day, Matías's mom asked him if he would be willing to give his Messi jersey to Brayan, a jersey that I had purchased for Matías when I was in Barcelona. At only 7 years old, but very attached to his soccer gear, Matías didn't hesitate. So began a friendship amongst us all.

So, thank you, to Matías's family for welcoming me into theirs, and to Isaías, Candelaria and Brayan (and to Jennifer Sofía born later), for doing the same years later, causing me to want to include all of them in a story together - a story with a lesson in giving and humanity.

May we all learn the lesson illustrated by the kids.

Thank you, too, to Stacy Witkowski, a middle school Spanish teacher in Michigan who encouraged her students to contact me via my website if they were interested in submitting art for a book. Happily, for all of us, Marcus Estrellado did just that! As a result, we are all able to feast our eyes on the beautiful, multi-colored cover created by this 8th grader. ¡Muchas gracias, Marcus!

Capítulo 1
Matías

El chico se llamaba Matías. Él tenía 7 años. Vivía en una casa con su familia: una mamá, un papá y una hermana. La familia tenía una casa con tres dormitorios, una cocina, una sala y dos baños. La casa era azul, no era muy grande, pero era perfecta.

La familia era interesante. La mamá era de los Estados Unidos y el papá era de Guatemala. La familia vivía en el estado de Nueva York y hablaba español.

Matías era un chico muy activo. Él practicaba muchos deportes, pero el fútbol era su favorito. Todos los días Matías practicaba con un balón de fútbol. También Matías veía muchos videos de fútbol en el iPad. Él miraba los videos de fútbol de la Liga, el fútbol profesional de España. A Matías le gustaba mucho el deporte.

Matías era un chico feliz. Veía videos de todos los equipos de la Liga, pero tenía un equipo favorito: FC Barcelona o Barça. Era el equipo más importante en la ciudad de Barcelona en España. Las personas del equipo jugaban muy bien. Un jugador importante era Lionel Messi. Él era excelente. Su posición era delantero. En los partidos, él tenía mucho el balón porque era muy bueno.

En el equipo del Barça en España, Lionel Messi era el número 10. Él jugaba al fútbol para el equipo nacional de Argentina también porque era de Argentina. Su jersey de Argentina era también el número 10. Para Matías, Messi era el número 1, pero en su jersey, Messi era el número 10.

Matías era un chico activo. Él practicaba el fútbol y tenía los uniformes de muchos equipos profesionales. Él tenía las camisas, los pantalones cortos y las medias. Un uniforme era blanco con verde. Era el uniforme de Cristiano Ronaldo del equipo del Real Madrid. Otro uniforme era celeste. Era el uniforme nuevo del FC Barcelona. El uniforme tenía el nombre de Suárez. ¡A Matías le gustaban más los uniformes del Barça!

Para Matías el uniforme más especial era el uniforme clásico del Barça. El jersey era rojo y azul con los números amarillos. Los pantalones cortos eran azules y las medias eran azules también.

Cuando era posible, Matías llevaba el uniforme. Matías tenía el plan de llevar el uniforme en el viaje a Guatemala en un mes. Un día, habló con su mamá.

—Mamá, ¿dónde está mi jersey de Messi? —preguntó Matías.

—No está en casa. Ya es muy pequeño para ti —contestó la mamá.

—Pero, maMÁ, ¡necesito el jersey para Guatemala! Es especial.

—Lo siento. El jersey está en Goodwill[1].

Matías NO estaba feliz. Matías necesitaba el jersey para el viaje. Era su jersey favorito.

---

[1] Goodwill: one of the many organizations in the United States that accepts used clothing and other items and offers them for resale at a discounted price.

Capítulo 2
Brayan

Brayan tenía 6 años. Él vivía en un caserío - un pueblo MUY pequeño - en el lago Atitlán. Atitlán estaba en la parte central de Guatemala. El caserío se llamaba Jaibalito. Jaibalito tenía 650 personas (o habitantes). No era muy grande. Era muy pequeño.

En Jaibalito había dos restaurantes, cuatro iglesias, una escuela y muchas casas. Jaibalito no tenía mucho dinero, pero era un caserío muy feliz. Las personas adultas trabajaban mucho y los niños estudiaban en la escuela.

Las personas en Jaibalito hablaban dos idiomas (o lenguas). En muchos pueblos en Atitlán, y en Guatemala, había personas indígenas. Las personas hablaban los idiomas mayas y hablaban español también. Había muchas lenguas indígenas en Guatemala, pero en Jaibalito las personas hablaban Kaqchikel[2].

---

[2] Kaqchikel: a Mayan indigenous language spoken in the south central region of Guatemala.

Brayan hablaba Kaqchikel porque sus padres hablaban Kaqchikel. Él hablaba Kaqchikel en la casa, pero estudiaba español en la escuela.

Era agosto y era día de escuela. La mamá de Brayan hablaba a su hijo en Kaqchikel y español.

—*Saqär, Brayan* (Buenos días, Brayan).

—*Saqär, nan* (Buenos días, mami) —dijo Brayan.

—Aquí está tu camiseta para la escuela —dijo la mamá en español.

—Gracias, mami.

La camiseta de Brayan era verde y tenía la imagen de Sponge Bob. La camiseta era de los Estados Unidos. Era una camiseta usada. Sponge Bob no era popular en Guatemala, pero la camiseta estaba en buenas condiciones. Brayan tenía la camiseta verde y los pantalones cortos negros. No tenía zapatos. Muchos niños en Jaibalito no tenían zapatos. Era normal.

Brayan era un chico feliz. Él tenía muchos amigos en Jaibalito. Él estudiaba con amigos en la escuela. Todos los amigos tenían ropa americana. La ropa era muy popular porque tenía buen precio.

Esa mañana Brayan caminó a la escuela con su mamá.

Capítulo 3
Matías

—Matías —gritó el papá—. Tienes la práctica de fútbol hoy. ¿Tienes los zapatos?

—Sí, papi. ¿Hay un partido hoy o solo práctica? —preguntó Matías.

—Solo práctica, hijo. El sábado es el partido.

—OK.

Matías tenía muchas actividades. Practicaba el fútbol mucho, también practicaba el lacrós. Y practicaba el piano también. A Matías le gustaba mucho la música. Le gustaba más el fútbol, pero le gustaba la música también.

A Matías le gustaba hablar español también. Matías hablaba inglés y español. Él y su familia viajaban a Guatemala todos los veranos. La familia viajaba al país para visitar a la abuela. A Matías le gustaba visitar Guatemala porque le gustaba hablar español.

*****

Matías se preparaba para la práctica de fútbol, pero también se preparaba para el viaje a Guatemala. La familia viajaba a la ciudad de Antigua. En Antigua le gustaba ver los enormes volcanes. Los volcanes se llamaban Agua, Fuego y Acatenango. El volcán de Agua estaba al sur de Antigua. Fuego y Acatenango estaban en el suroeste. Eran muy grandes, pero solo el volcán de Fuego estaba activo. Los otros volcanes no estaban activos.

En el carro a la práctica de fútbol, Matías habló con su papá.

—Papi, en Guatemala yo quiero comer en Frida's y también en Condesa.

—Está bien, Matías. Comemos en esos restaurantes mucho.

Frida's era un restaurante mexicano en la 5ª Avenida Norte cerca del Arco de Santa Catalina. El arco amarillo era muy famoso en Antigua. Café Condesa era un restaurante en la plaza principal de Antigua. En el restaurante, Matías comía desayuno chapín, el desayuno guatemalteco. El desayuno chapín tenía huevos con cebolla y tomate, frijoles, tortillas y fruta. Era delicioso.

—Papi, quiero ir al lago también —dijo Matías.

—Claro, hijo. Vamos al lago. Vamos al lago todos los años.

Matías tomó el balón y el uniforme rojo de su equipo, y fue a la práctica de fútbol con su papá.

Capítulo 4
Brayan

Ese día hacía buen tiempo en Jaibalito. Hacía fresco, pero hacía sol también. Había muchos volcanes en Guatemala, y había tres volcanes en el lago Atitlán. Se llamaban Atitlán, San Pedro y Tolimán. Por la mañana, había muchas nubes cerca de los volcanes.

Brayan estaba en su pequeña casa con sus padres, con su tía y sus primos. Todos vivían juntos. La mamá de Brayan le habló.

—Brayan, tienes que regresar a casa después de la escuela. Tu tía prepara el almuerzo para ti. Papi y yo tenemos que trabajar.

—Está bien, mami. ¿Papi está en el hotel ahora? —preguntó Brayan.

—Sí, mi amor. Tu papi trabaja ahora.

La mamá de Brayan caminaba cerca del lago para ir al hotel. El hotel se llamaba Casa del Mundo y estaba cerca de Jaibalito. La mamá y el papá de Brayan trabajaban en el hotel.

Su mamá era mesera. Ella llevaba la comida a las personas que visitaban el hotel. Muchas personas de muchas partes del mundo visitaban el hotel. El papá de Brayan trabajaba en el muelle del hotel. El muelle estaba cerca del lago. Las lanchas y los taxis acuáticos llegaban al muelle. El papá ayudaba a las personas con las maletas. También su papá sacaba productos de las lanchas que llegaban desde el pueblo de Panajachel.

La tía de Brayan le habló en Kaqchikel:

—*Akuchi e k'o wi ritaq awuj chuqa ri taq atz' ib'ab'al?* (¿Dónde están tus materiales para la escuela?).

Brayan buscó sus materiales para la escuela.

—Tía, tengo todo aquí —respondió en español.

Esa mañana Brayan tenía muchas preguntas.

—Tía, ¿hay un partido de fútbol hoy en la televisión? Quiero verlo[3].

—No sé...

—Tía, ¿conoces a Messi, el jugador del Barça?

—No. No lo conozco. ¿Es bue...?

Brayan habló otra vez.

—Quiero jugar como él. ¿Es posible llevar el balón a la escuela hoy?

—Sí, Brayan. Está bien —dijo la tía.

El «balón» no era un balón real. El «balón» era de papel y cinta. La familia no tenía dinero para un balón de fútbol. Brayan tomó el balón para llevarlo[4] a la escuela. No era muy bueno, pero era suficiente. Caminó a la escuela con su tía y los dos primos. Jaibalito era muy pequeño y ellos llegaron a la escuela en pocos minutos.

---

[3] verlo: to see it.
[4] llevarlo: to take it.

Capítulo 5
Matías

Para la familia de Matías llegó el día de ir a Guatemala. Matías decidió llevar el uniforme blanco de Cristiano Ronaldo. No era su favorito. El uniforme de Messi era su favorito, pero no lo tenía. La mamá de Matías dijo que el uniforme estaba en Goodwill. El uniforme usado estaba listo para otra persona.

A Matías le gustaba viajar. Con su mochila roja, caminaba por todas partes en el aeropuerto de Nueva York. Matías miraba a muchas personas. Había personas hispanas. Había personas europeas. Había personas de Asia. Había mucha acción en el aeropuerto.

A Matías le gustaba viajar a Guatemala porque le gustaba practicar español, pero el viaje a Guatemala era muy largo. Matías descansaba en el avión. También usaba el iPad para ver los videos de su equipo favorito, el FC Barcelona. Matías estudiaba los videos porque quería jugar bien. Él era estudiante del deporte de fútbol.

—Mami, mira este partido del Barça. Messi y Suárez juegan muy bien.

—Excelente, Matías. Solo un video más, porque tienes que leer tu libro —dijo la mamá.

—Ok, mami. Pero no me gusta leer. Quiero jugar al fútbol profesional. No necesito leer.

La mamá de Matías no respondió. No fue necesario. Matías terminó con el iPad y sacó el libro para leer.

*****

La familia llegó al Aeropuerto Internacional La Aurora en la capital de Guatemala. Matías y su hermana hablaban mucho cuando bajaban del avión.

—Sofía, ¿quieres caminar al Cerro de la Cruz? —preguntó Matías.

—Claro. También quiero ir a la plaza principal el domingo. Me gusta ver a las personas.

—¡Sí! Hay muchas personas los domingos. Allí venden muchos juguetes para niños. Yo voy a comprar un balón —dijo Matías.

—Y un día caminamos por el volcán Pacaya —dijo Sofía.

—No, Sofía. No es posible caminar por un volcán.

—Sí, Matías. Mami dice que es posible.

La discusión continuó por unos minutos más. Matías y su familia tomaron un taxi a la ciudad de Antigua. Antigua era una ciudad colonial pequeña. También era muy bonita.

En el taxi, los dos chicos hablaban de muchos lugares en Antigua. El Cerro de la Cruz era un lugar con una cruz. Desde el cerro había una vista espectacular de la ciudad de Antigua y del volcán de Agua también. Pacaya era otra atracción. Muchos turistas subían este volcán porque era muy fácil.

También, Sofía y Matías hablaban de las experiencias en la plaza. Muchos guatemaltecos llegaban a la plaza los domingos para pasear. Tomaban helado, miraban a las personas y escuchaban música de marimba[5]. En Antigua había muchas actividades. Era una ciudad alegre.

---

[5] marimba: music made with the instrument of the same name, a percussion instrument of a set of wooden bars that are struck with mallets to produce tones.

Capítulo 6
Brayan

La mamá de Brayan caminaba al hotel. Casa del Mundo estaba solo a cinco minutos de Jaibalito. El camino era muy corto, pero era muy bonito. La mamá miraba el lago Atitlán. Por la mañana el agua era gris, pero por la tarde era turquesa. El lago era hermoso.

En el camino al hotel la mamá de Brayan miraba a los vecinos. Dos mujeres caminaban al lago con comida en canastas encima de la cabeza. Ellas llevaban traje[6]. Traje era el nombre para la ropa de las mujeres indígenas en Guatemala. La blusa se llamaba *huipil*. La falda se llamaba *corte*. El cinturón se llamaba *faja*. El huipil de Jaibalito era rojo y el corte era negro. Cada región en Guatemala tenía traje de colores específicos.

También la mamá miraba a unos hombres. Los hombres trabajaban en la tierra. Ellos

---

[6] traje: typical dress or outfit of the indigenous people in Guatemala. For women it consists of a blouse, skirt and a woven belt.

21

trabajaban produciendo café. El café de Guatemala era muy famoso y delicioso. La mamá de Brayan saludó a los hombres.

—*Ütz awäch* (Buenos días).

—*Ütz awäch* —respondieron.

—*La ütz awäch rat?* (¿Cómo estás?)

—*Ütz matyöx* (Bien, gracias.).

—*La ütz awäch rat?*

—*Ütz matyöx.*

En el camino al hotel, la mamá de Brayan pensaba en su hijo. A Brayan le encantaba el fútbol. Él practicaba el deporte todos los días en la casa y en la escuela. Y cuando había un partido en la televisión, miraba con mucho interés. Su equipo favorito era un equipo de España, el equipo del Barcelona. Le gustaban los colores del uniforme. Brayan tenía muchos jugadores favoritos en el equipo: Suárez, Neymar y, claro, Messi.

En una conversación un día, Brayan y su mamá hablaron de su cumpleaños.

—Mami, mi cumpleaños es en dos semanas.

—Sí, Brayan. Vamos a celebrar —dijo la mamá.

—Quiero un jersey de fútbol. ¿Por favor?

—Vamos a ver, Brayan.

La situación económica para muchas familias en Guatemala era muy difícil. No había mucho dinero extra. La mamá de Brayan estaba triste. Ella quería comprar un regalo especial, pero no había dinero.

Su mamá caminó al hotel y entró en el restaurante. Tenía que trabajar todo el día.

Capítulo 7
Matías

Matías hablaba español con su familia, pero quería aprender más. Cuando estaban en Antigua, Matías y su hermana estudiaban español en una escuela allí. La escuela se llamaba Francisco Marroquín. Era una escuela famosa en Antigua. Tenía clases individuales o en grupos pequeños. En la clase Matías aprendía a leer. El español era fácil de pronunciar y era fácil de leer. Matías tenía una pronunciación excelente. La profesora estaba muy feliz con él.

—Matías, aprendes mucho español esta semana. Estoy contenta —dijo la profesora.

—Gracias, maestra Carmen. Me gusta estudiar español —respondió Matías.

—Estudia mucho más. Lee mucho. Tú puedes leer los letreros con las palabras grandes. Son fáciles de leer.

—Está bien, maestra. Voy a practicar —dijo Matías.

*****

La familia fue en carro a la costa para visitar a la abuela en Monterrico.

En una semana, Matías aprendió mucho español. Leía muy bien. Leía todos los letreros que veía en las calles y en los restaurantes. Leía todo el tiempo en voz alta.

—Librería. Restaurante. Farmacia. Museo. Hotel —dijo Matías. Matías pronunciaba la «h» como en inglés.

—Matías, en español, no se pronuncia la «h». La palabra se dice «otel» —explicó su mamá.

—Pero es la palabra «hotel» en inglés —dijo Matías.

—Sí, amor. Hay muchas palabras que son iguales o similares en inglés y en español —dijo la mamá.

—Oh. OK.

Matías leía otro letrero. No era un letrero oficial, pero decía: «SE ABRIÓ PACA». Matías lo leyó en voz alta.

—Papi, ¿qué es una paca? —preguntó Matías.

—Una paca es una cantidad enorme de ropa americana que llega a Guatemala desde los Estados Unidos —dijo el papá.

—¿Es ropa nueva? —preguntó Matías.

—No. Es ropa usada. Es la ropa usada que nosotros llevamos a Goodwill y otras organizaciones similares. La ropa americana es muy popular aquí en Guatemala.

—¿Por qué se vende en esa casa?

En esa casa las personas tenían mucha ropa en el patio. Las personas vendían la ropa para ganar dinero.

—Es un negocio informal de unas personas en Guatemala. Ellas compran pacas de ropa y las venden.

Matías tenía muchas preguntas: ¿Qué es negocio informal? ¿Ganan mucho dinero? ¿Qué pasa con la ropa que no se vende?

El papá de Matías explicó que el negocio informal era como un *yard sale* en los Estados Unidos. Unas personas vendían y otras personas compraban. El papá no sabía qué pasaba con la ropa que no se vendía.

—Papi, ¿está mi jersey de Messi en una paca?

—No sé. Es posible.

La familia continuaba en la ruta a la costa. Estaban en el departamento de Escuintla. Un departamento es como un estado en los Estados Unidos.

En el carro la familia pasaba por muchas aldeas pequeñas. Ellos veían casas pequeñas y muchas iglesias. También miraban a las personas que caminaban en las calles. Hacía mucho calor y las personas sudaban. El clima en Escuintla era muy diferente del clima en Antigua.

Matías leía otro letrero.

—Megapaca: el Día del Buen Chapín.

Matías leía y pronunciaba muy bien, pero no comprendía.

—Mami, ¿qué es Megapaca? —preguntó Matías.

La mamá de Matías explicó que Megapaca es una compañía en Guatemala que tiene muchas tiendas. Las tiendas venden ropa americana usada. La ropa llega en pacas a Guatemala.

—¿Por qué la gente compra ropa usada aquí? —preguntó Matías.

—No hay mucho dinero para comprar ropa nueva. Y la ropa usada es de buena calidad —explicó la mamá.

—Oh. Y, ¿qué es chapín? —preguntó Matías.

La mamá estaba cansada de tantas preguntas.

—Matías, tú sabes que es una palabra para decir «guatemalteco».

—Oh. ¡Sí!, dijo Matías.

La familia llegó a la costa y fue directamente a la casa de la abuela. La abuela era una chapina muy feliz. Ella vivía en una casa pequeña con sus gallinas y su perro, Negro. Claro, el perro era negro. A Matías le gustaba estar en la casa de su abuela porque él no tenía mascotas en los Estados Unidos. Llegaron a la puerta y Matías gritó:

—¡Hola, ab-UE-la!

Capítulo 8
Brayan

Era un día normal para la familia de Brayan. Los padres caminaron al hotel para trabajar, y Brayan caminó a la escuela con la tía y sus primos.

El hotel no era un hotel grande. Era un hotel pequeño con veinte cuartos. Era necesario subir muchas gradas para llegar a la recepción y al restaurante del hotel. Los padres, Candelaria e Isaías, subían las gradas rápido. No era difícil para ellos porque estaban acostumbrados a subirlas todos los días. Pero era difícil para las personas que visitaban el hotel.

Los dos llegaron al restaurante y saludaron a Gabriel, el jefe del hotel.

—Buenos días —le dijeron.

—Buenos días, Candelaria e Isaías. ¿Cómo están? —preguntó Gabriel.

—Bien, gracias. ¿Cómo está el negocio con las pacas? —preguntó Isaías.

Isaías sabía que Gabriel tenía otro negocio con la ropa americana. El negocio estaba en Panajachel, el pueblo más grande en el lago Atitlán.

—Está bien, gracias. Tenemos nueva paca —explicó Gabriel.

—¿Sí? ¿Tienes un jersey de Messi? —Isaías preguntó, pero no en serio.

—Increíble. Sí tenemos. ¿Lo quieres? —preguntó Gabriel.

Candelaria respondió inmediatamente.

—Sí, Gabriel. Por favor. Es el cumpleaños de Brayan en seis días y habla mucho de un jersey.

—Está bien. Se lo traigo[7] mañana —dijo Gabriel.

---

[7] se lo traigo: I'll bring it to you.

Candelaria estaba muy feliz. Ella quería comprar el jersey para Brayan. El problema era que ella no tenía dinero. Necesitaba un plan...

Isaías pensaba en el jersey también. Él quería comprar el jersey para Brayan, pero no había pisto[8]. Era un problema. Pero no tenía tiempo para pensar en el problema. La lancha llegó con personas que pasaban unas noches en el hotel. Isaías tenía que ayudar a las personas a llevar las maletas.

También en la lancha había muchos productos para el hotel. Había cajas de vegetales, sodas, botellas de agua y una bolsa grande de frijoles. El hotel servía muchos frijoles porque era una comida tradicional en Guatemala.

Isaías llevó las botellas al restaurante. Subir las gradas con las botellas de agua era más difícil. Cuando llegó al restaurante, Candelaria le habló.

---

[8] pisto: Guatemalan word for money.

—Isaías. Tengo buenas noticias. Mira esta ropa. Una mujer de los Estados Unidos me la regaló[9] porque ella no la necesita.

—Bien, Candelaria. Pero ¿qué haces con la ropa? —preguntó Isaías.

—Voy a venderla en el mercado en Panajachel mañana. Con el dinero puedo comprar el jersey para Brayan —explicó Candelaria.

—Buena idea, Candelaria.

El problema tenía una solución. Isaías y Candelaria estaban muy felices. Brayan iba a recibir un jersey nuevo: el jersey especial de Lionel Messi, su jugador favorito.

---

[9] me la regaló: she gave to me (as a gift).

Capítulo 9
Matías

—Matías, ¿dónde está tu mochila? Tu hermana está lista. Salimos en diez minutos —dijo la mamá.

—Mami, aquí está mi mochila. Tengo ropa para dos días: dos uniformes, calzoncillos, calcetines, pijama y una sudadera. ¿Está bien? —preguntó Matías.

—Excelente. ¿También vas a llevar el balón para practicar fútbol?

—Claro, mami. Necesito practicar mucho —dijo Matías.

La familia iba a viajar en carro al lago Atitlán. El lago estaba en el departamento de Sololá en Guatemala. El lago era muy bonito y tenía mucha historia y mucha cultura. El viaje al lago era de casi cuatro horas en carro. Había mucho tráfico. En el camino, Matías leía los letreros otra vez.

También Matías conocía más cosas del país de Guatemala. Guatemala no era un país rico en dinero, pero era un país muy rico en historia y cultura. Por la ventana del carro, Matías veía a muchas personas. Las personas trabajaban en las tiendas. Trabajaban en la construcción y también muchas personas trabajaban en los campos. Guatemala tenía mucha agricultura. Los productos más importantes eran el azúcar, el café y los bananos. Otro producto importante era la milpa (o el maíz). Era importante porque las personas usaban el maíz para hacer tortillas. Las tortillas eran importantes para los chapines.

Por fin la familia llegó al pueblo de Panajachel. Panajachel estaba en la parte norte del lago Atitlán.

Matías y su familia bajaron del carro y caminaron al muelle. El muelle era donde estaban las lanchas, o sea, los taxis acuáticos. Las lanchas llevaban a las personas a diferentes pueblos en el lago. A Matías le gustaba mucho ir en lancha. Matías siempre estaba en la parte delantera de la lancha para mirar todo.

Matías corrió al muelle. Visitar el hotel Casa del Mundo era su parte favorita del viaje a Guatemala. Él estaba muy emocionado y feliz.

—¡Vamos, Sofía! —gritó Matías.

Sofía era mayor que Matías. Ella tenía 9 años. Ella no corría.

El papá de Matías pagó al lanchero, el chofer de la lancha. Había muchas personas en la lancha, turistas y personas locales. También había muchos productos. Las lanchas llevaban los productos a los diferentes hoteles en el lago. Era un sistema interesante.

No había mucho viento, entonces, no había muchas olas. Pero era diferente por las tardes en el lago. Cada día por la tarde había mucho viento. El viento se llamaba

Xocomil[10]. Con ese viento había olas grandes en el lago.

Matías y Sofía miraban los volcanes. Los tres volcanes eran enormes. No estaban activos, pero eran muy hermosos. Las montañas cerca del lago eran increíbles.

Quince minutos después, la familia llegó al muelle de Casa del Mundo. Matías saltó de la lancha inmediatamente para subir las gradas a la recepción del hotel.

---

[10] Xocomil: name given to the winds that crop up in the afternoons on Lake Atitlán.

Capítulo 10
Brayan

—*Nan* (mami), mira. Yo tengo un jersey de Messi.

La mamá de Brayan estaba muy ocupada esa mañana, pero miró a su hijo. Brayan tenía un «jersey» que era en realidad una bolsa de plástico. Era similar al uniforme nacional de Argentina con los colores celeste y blanco. También tenía el número 10 en negro.

—Muy bien, Brayan. Me gusta tu jersey. ¿Vas a llevarlo a la escuela hoy?

La mamá de Brayan no escuchó la respuesta. Ella tenía mucho trabajo. Ella necesitaba vender la ropa usada en el mercado. Ella quería comprar el jersey para su hijo. Ella puso la ropa en una bolsa muy grande para llevarla a Panajachel y venderla en el mercado. Quería ganar el dinero necesario para comprar el jersey del Barça que tenía el nombre de Lionel Messi.

*****

Brayan caminaba a la escuela. Llevaba el «uniforme» porque iba a jugar al fútbol durante la hora del recreo. Todos los chicos, y unas chicas también, jugaban al fútbol en la cancha al lado de la escuela.

La escuela en Jaibalito era muy pequeña también. En la escuela solo había 80 estudiantes. Los estudiantes tenían entre 5 y 12 años. La escuela tenía los grados 1 al 6. No había clases en Jaibalito después del 6.º grado. Los estudiantes que querían continuar con la educación tenían que asistir a un colegio en Panajachel.

Las maestras saludaban a los estudiantes cuando llegaban a la escuela.

—*Saqär*. Buenos días.

Las maestras hablaban kaqchikel y español todo el día. Los chicos hablaban solo Kaqchikel en casa y aprendían español en la escuela. Brayan y su primo saludaron a las maestras.

—*Saqär*.

—Buenos días —dijo la maestra en español.

—Repitan «Buenos días».

—Buenos días —dijeron los chicos.

Por la mañana, Brayan y los otros estudiantes aprendían matemáticas y geografía en español. Los estudiantes también practicaban leer y escribir en español. Era mucho trabajo, pero estaban felices. Los niños de Jaibalito siempre estaban felices.

A las 10 de la mañana era la hora de recreo y refacción. Todos los niños hacían una cola para recibir su Incaparina[11]. La Incaparina era una bebida con vitaminas. Los niños recibían esta bebida en la escuela. El nombre de la bebida era de INCAP, una ONG[12] (organización no gubernamental) que quería

---

[11] Incaparina: name given to the powdered beverage provided to the children by the NGO of the same name, INCAP, to ensure that they receive necessary nutrition.

[12] ONG = NGO - non-governmental organization.

ayudar a las personas. La bebida daba nutrición a los niños que no la recibían en casa.

Brayan y los amigos tomaban la Incaparina rápido. Querían salir de la escuela para jugar al fútbol en la cancha. Tomaron el «balón» y fueron a la cancha. El «balón» que usaban era de mucho papel y más cinta. No importaba. El balón funcionaba bien. Los chicos jugaron por media hora cuando la maestra dijo:

—¡A estudiar!

Entraron en la escuela. Ellos estaban cansados, pero muy felices.

*****

La mamá de Brayan pasó un buen día en el mercado. Vendió toda la ropa y ganó suficiente dinero. Tuvo mucha suerte. Con el dinero ella iba a comprar el jersey. Al final del día tomó la lancha para ir a Casa del Mundo. Gabriel estaba allí con el jersey.

Llegó al muelle muy feliz. Subió las gradas para ver a Gabriel en la recepción.

—Buenas tardes, Gabriel —dijo Candelaria.

—Hola. ¿Cómo estás? —preguntó Gabriel.

—Estoy excelente, gracias. Tengo el dinero para el jersey.

—Muy bien. Aquí está —dijo Gabriel.

Gabriel sacó el jersey de la bolsa de plástico. Era una bolsa similar a la bolsa que Brayan usaba como uniforme de Messi.

La mamá de Brayan tomó el jersey. Era increíble. Era un jersey oficial del equipo de Barcelona: era azul y rojo con los números grandes en amarillo. Y claro, tenía el nombre «Messi» en la parte de atrás. También, cerca del cuello del jersey estaban las letras M.A.S. La mamá de Brayan no entendía por qué el jersey tenía las letras, pero no importaba. Ella estaba superfeliz porque tenía un regalo para su hijo.

Capítulo 11
Matías

Era martes. Matías y su familia pasaron otro día en el hotel Casa del Mundo. Normalmente a Matías le gustaba correr todo el tiempo, pero no había espacio en Casa del Mundo. No importaba. Matías estaba muy feliz en el hotel. Hablaba con los meseros y las meseras. Hablaba con todas las personas que trabajaban en el hotel. Estaba feliz porque exploraba mucho.

Entró en la recepción y vio a los padres de Brayan. Ellos estaban trabajando. Estaban organizando el cuarto para la cena. Matías habló.

—Hola. Me llamo Matías —dijo. Matías quería practicar su español.

—Hola. ¿Cómo estás? —preguntó la mamá de Brayan.

—Estoy muy bien —respondió Matías.

Matías llevaba otro uniforme ese día. Era el uniforme de Neymar. Él jugaba para un nuevo equipo, Paris Saint-Germain. El uniforme era muy bonito. Tenía los colores verde y rosado, con los números negros. Y claro, tenía el nombre «Neymar» en la parte de atrás.

—Matías, ¿te gusta el fútbol? —preguntó el papá de Brayan.

—¡Sí! ¡Claro! —respondió Matías.

—Me gusta el uniforme. ¿Es tu equipo favorito? —preguntó el padre de Brayan.

—No. Me gusta Neymar, pero él ya no juega con el Barça. El Barça es mi equipo favorito.

—Oh, a mi hijo le gusta el Barça también. ¿Quién es tu jugador favorito?

—Messi. Claro. Es el mejor jugador en La Liga —dijo Matías.

—Interesante. A mi hijo le gusta Messi también.

—¿Cómo se llama tu hijo? —preguntó Matías.

—Se llama Brayan. Su cumpleaños es el jueves. Compramos un jersey de Messi para su cumpleaños. Es una sorpresa.

—Muy bien. Yo tenía un jersey de Messi pero mi mamá lo llevó al centro de donativos. Yo no lo tengo[13] ahora.

—Qué pena.

—Está bien. Tengo tres uniformes. Pero Messi ES mi favorito.

La mamá de Matías entró en la recepción buscando a su hijo.

—Matías, ¿qué haces?

—Hablo con Isaías. Hablamos de fútbol —dijo Matías.

Con una sonrisa la mamá respondió:

---

[13] Yo no lo tengo: I don't have it.

—¡Qué sorpresa!

Durante los tres días que la familia de Matías pasó en Casa del Mundo hablaron mucho con Isaías y Candelaria. Eran muy simpáticos. Los padres de Matías y los padres de Brayan hablaban mucho de la vida en Guatemala, la región de Atitlán y Jaibalito. Ese día Candelaria invitó a la familia a su casa para celebrar el cumpleaños de Brayan.

—Me gustaría invitarlos a la casa. Vamos a cenar esta noche a las 7 para celebrar el cumpleaños de Brayan. ¿Quieren venir?

La mamá de Matías respondió inmediatamente.

—Sí. Nos encantaría. Gracias.

*****

Esa tarde, Isaías y Candelaria salieron del trabajo y caminaron a la casa para preparar la cena especial. Candelaria habló con Brayan.

—Brayan, invitamos a unos amigos para celebrar con nosotros esta noche —dijo Candelaria.

—¿Quiénes? —preguntó Brayan.

—Una familia. Una mamá, un papá, una hija y un hijo. El hijo se llama Matías. Tiene 7 años. Le gusta el fútbol también.

—Muy bien, mami —dijo Brayan.

Capítulo 12
Brayan y Matías

Antes de ir a la casa en Jaibalito para la cena especial, la mamá de Matías habló con él.

—Matías, vamos a cenar a la casa de Isaías y Candelaria para el cumpleaños de Brayan. No tenemos regalo para él. ¿Quieres regalarle tu uniforme de Neymar?

Matías pensó solo un momento.

—Sí, mami. Me gustaría darle el uniforme. Yo tengo muchos y Brayan probablemente no tiene muchos.

Con su familia, Matías caminaba a Jaibalito. Llevaba el uniforme y el balón. Quería jugar al fútbol con Brayan. Matías siempre quería jugar al fútbol.

La familia de Matías llegó a la casa en Jaibalito e inmediatamente los dos chicos empezaron a jugar al fútbol. Los dos estaban muy felices.

Brayan dijo:

—Me gusta tu balón. Yo no tengo balón.

—Es un balón del mercado. ¿Quieres el balón? —preguntó Matías.

—¿En serio? Sí, me encantaría.

Matías le dio el balón a Brayan. Y los dos chicos fueron al comedor para tomar la cena. La comida era muy rica. Era *kaq'ik*[14], un plato típico de Guatemala. Era un caldo de pavo (o chompipe). El caldo tenía tomates, cebolla y chiles también. Se servía con tamales[15].

Después de la cena la madre de Brayan habló.

—Brayan, tenemos un regalo especial para ti para tu cumpleaños. Normalmente no celebramos, pero como te gusta el fútbol... Los padres de Brayan le dieron el jersey del Barça con el número 10 y el nombre de Messi

---

[14] Kaq'ik: a typical Guatemalan dish made with turkey legs cooked in red broth with tomatoes, spices and chiles.

[15] tamale: a typical Mesoamerican dish made of *masa* or dough, steamed in a banana leaf.

atrás. Brayan estaba sorprendido, y MUY feliz.

—Gracias, mami y papi. ¡Gracias!

Brayan se puso el jersey inmediatamente. La mamá de Matías vio algo interesante en el jersey: las letras «M.A.S.» en el cuello.

—Brayan, ¿puedo ver tu jersey? —preguntó la mamá de Matías.

—Sí —dijo Brayan.

La mamá de Matías examinó el jersey. Con una sonrisa grande, ella dijo:

—Matías, este es TU jersey. ¡Tiene las letras «M.A.S.», las letras de tu nombre!

Todas las personas en la casa hablaban y todos estaban muy felices con la nueva conexión entre las familias.

Matías habló con Brayan y le dio el uniforme de Neymar.

—Brayan, este uniforme es para ti también. Messi es mejor, pero Neymar es bueno también.

—Gracias, Matías.

Dos horas más tarde, la familia de Matías caminó a Casa del Mundo. Tenían que regresar a Antigua al siguiente día. Antes de dormir, Matías habló con sus padres.

—¿Vamos a regresar a Casa del Mundo y a Jaibalito en el futuro?

—Sí, Matías. Venimos a Guatemala todos los veranos. ¿Por qué? —dijo la mamá.

—Yo quiero ver a Brayan otra vez.

—Está bien...

—Y quiero traerle más ropa. Yo tengo mucha ropa y zapatos y uniformes y Brayan tiene menos que yo. Quiero compartir.

La mamá y el papá de Matías se miraron. Los dos tenían unas sonrisas muy grandes porque sabían que su hijo aprendió mucho más que leer en español en este viaje a Guatemala.

GLOSARIO

A

a - to, at
abrió - s/he opened
abuela - grandmother
acción - action
actividades - activities
activo(s) - active
acuáticos - acuatic
aeropuerto - airport
agosto - August
agricultura - agriculture
agua - water
ahora - now
al - to the
aldeas - small towns
alegre - happy
algo - something
allí - there
almuerzo - lunch
alta - tall
amarillo(s) - yellow
americana - American
amigos - friends
amor - love
antes - before
años - years
aprendió - s/he learned
aprendieron - they learned

aprender - to learn
aprendes - you learn
aquí - here
arco - arch
asistir - to attend
atracción - attraction
atrás - back
avenida - avenue
avión - airplane
ayudaba - s/he helped
ayudar - to help
azul(es) - blue
azúcar - sugar

B

bajaron - they got down, got off (plane)
balón - ball
bananos - bananas
baños - bathrooms
bebida - drink
bien - well
blanco - white
blusa - blouse
bolsa - bag
bonita/o - pretty
botellas - bottles
buen/o/a(s) - good
buscando - looking for

C

cabezas - head
cada - each
café - coffee, coffee shop
cajas - boxes
calcetines - socks
caldo - broth, soup
calidad - quality
calles - streets
calor - heat
 hace calor - it's hot
calzoncillos - underwear
caminaba - I, s/he walked
caminaban - they walked
caminamos - we walk
caminar - to walk
camino - walk, path
camisas - shirts
camiseta - T-shirt
campos - fields
canastas - baskets
cancha - sports field
cansada/o(s) - tired
carro - car
casa(s) - house(s)
caserío - very small town
casi - almost
cebolla - onion
celebramos - we celebrate

celebrar - to celebrate
celeste - light blue
cena - dinner
cenar - to eat dinner
centro - downtown
cerca - close
cerro - hill
chapin/a(es) - adjective to refer to Guatemalans
chicas - girls
chico(s) - boy(s)
chiles - chili peppers
chofer - driver
chompipe - turkey
cinco - five
cinta - tape
ciudad - city
claro - of course, clear
clase(s) - class(es)
clima - climate, weather
cocina - kitchen
cola - line
colegio - high school
colonial - colonial, referring to the time when the Spaniards colonized the region
colores - colors
comía - s/he ate

comedor - dining room
comemos - we eat
comer - to eat
comida - food
como - like, as
cómo - how
compartir - to share
compañía - company
compra - s/he, it buys
compramos – we bought
compraban – they bought
comprar - to buy
comprendía - s/he understood
con - with
condiciones - conditions
conexión - connection
conoces - you know
conocía - s/he knew
conozco - I know
construcción - construction
contenta - happy
contestó - s/he answered
continuar - to continue
continuaba - s/he continued

continuó - s/he

continued
conversación - conversation
corre - s/he runs
correr - to run
corría - s/he ran
corrío - s/he ran
corte - skirt as part of the typical Guatemalan outfit for indigenous women
corto(s) - short
costa - coast
cuando - when
cuarto(s) - room(s)
cuatro - four
cuello - neck
cultura - culture
cumpleaños - birthday

D

daba - I, s/he gave
darle - give to him/her
de - from, of
decide - s/he decides
decir - to say, tell
del - from, of the
delantera - front
delantero - forward (position in soccer/football)
delicioso - delicious

departamento -

department, delineated territories in Guatemala similar to states in the U.S.

deporte(s) - sport(s)
desayuno - breakfast
descansa - s/he rests
desde - since, from
después - after
día(s) - day(s)
dice - s/he says, tells
dicen - they say, tell
dieron - they gave
diez - ten
diferente(s) - different
difícil - difficult
dinero - money
dio - s/he, it gave
directamente - directly
discusión - discussion
domingo(s) - Sunday(s)
donativos - donations
donde - where
dónde - where
dormir - to sleep
dormitorios - bedrooms
dos - two
durante - during

E

e - and
económica - economic
educación - education
el - the
él - he
ella - she
ellas - they
ellos - they
emocionado - excited
empezaron - they began
en - in, on
encantaba - it was really pleasing to
encantaría - it would be really pleasing to
encima - on top of
enorme(s) - enormous
entendía - s/he understood
entonces - then, so
entró- s/he entered
entraron - they entered
entre - between
equipo(s) - team(s)
es - s/he, it is
esa - that
escribir - to write
escuchó - s/he listened
escuchaban - they listened

escuela - school
ese - that
esos - those
espacio - space
España - Spain
español - Spanish
especial - special
espectacular -
  spectacular
específicos - specific
esta - this
está - s/he, it is
estaba - I, s/he, it
  was
estaban - they were
están - they are
estás - you are
estado(s) - state(s)
  Estados Unidos -
  United States
estar - to be
este - this
estoy - I am
estudia - s/he studies
estudiaba - I, s/he
  studied
estudiaban - they
  studied
estudiante(s) -
  student(s)
estudiar - to study
europeas - European
examinó - s/he
  examines
excelente - excellent

experiencias -
  experiences
explicó - s/he
  explained
exploraba - s/he
  explored

F
fácil(es) - easy
falda - skirt
familia(s) - family(ies)
famosa/o - famous
farmacia - pharmacy
favor - favor
  por favor - please
favorita/o(s) -
favorite
felices - happy
feliz - happy
fin - end
final - final
  al final - at the
  end
fresco - cool
frijoles - beans
fruta - fruit
fue - s/he, it was,
  went
fueron - they were,
  went
fuego - fire
funcionaba - s/he, it
  functioned
fútbol - soccer
  (U.S.A.),football

futuro - future

G
gallinas - hens
gana - s/he earns
ganan - they earn
ganar - to earn
ganó - s/he earned
gente - people
geografía - geography
Goodwill - an organization in the United States that accepts used clothing and other items and offers them for resale at a discounted price.
gracias - thank you
gradas - steps
grado(s) - grade(s)
grande(s) - big, large
gris - gray
gritó - s/he yelld
grupos - groups
guatemalteco/a - Guatemalan
gubernamental - governmental
gusta - it is pleasing to
gustaría - it would be pleasing to
gustaron - they were pleasing to

gustó - it was pleasing to

H
había - there was, were
habitantes - inhabitants
habla - s/he speaks
hablaba - I, s/he spoke
hablaban - they spoke
hablamos - we speak, spoke
hablar - to speak
hablaron - they spoke
hablo - I speak
hace - s/he, it makes, does
hacen - they make, do
hacer - to make, do
haces - you make, do
hacía - I, s/he did, made
hacían - they did, made
hay - there is, there are
helado - ice cream
hermana - sister
hermoso(s) - beautiful
hija - daughter
hijo - son
hispanas - Hispanic
historia - history
hola - hello, hi

hombres - men
hora(s) - hour(s)
hoteles - hotels
hoy - today
huevos - eggs
huipil- name of the blouse worn by the indigenous women in Guatemala

I

idiomas - languages
iglesias - churches
iguales - equal, same
imagen - image
(no) importaba - it (didn't) matter(ed)
importante(s) - important
Incaparina - name given to the powdered beverage provided to the children by the NGO of the same name, INCAP
increíble(s) - incredible
individuales - individual
indígenas - indigenous
inglés - English
inmediatamente - immediately
interés - interest

interesante - interesting
internacional - international
invita - s/he invites
invitamos - we invite
invitarlos - to invite them
ir - to go

J

jefe - boss
juega - s/he plays
juegan - they play
jueves - Thursday
jugador(es) - player(s)
jugaba - I, s/he played
jugaban - they played
jugar - to play
juguetes - toys
juntos - together

K

kaqchikel - a Mayan indigenous language spoken in the south central region of Guatemala

L

la - the
lacrós - lacrosse

lado - side
lago - lake
lancha(s) - boat(s)
lanchero - boat driver
largo - long
las - the
le - to/for him/her
lee - s/he reads
leer - to read
leía - I, s/he read
lenguas - languages
letras - letters
letrero(s) - sign(s)
leyó - s/he read
librería - bookstore
libro - book
liga - league
lista/o - ready
llama - s/he calls
llamaba - I, s/he called
llamaban - they called
llamo - I call
llega - s/he arrives
llegaban - they arrived
llegaron - they arrived
llegar - to arrive
llevaba - I, s/he wore
llevaban - they wore
llevar - to wear
llevarlo - to wear it
llevó - s/he took
lo - it
locales - local

los - the
lugar(es) - place(es)

M
madre - mother

maestra(s) - teacher(s)
maletas - suitcases
mami - mommy
mamá - mom
marimba - music made with the instrument of the same name
martes - Tuesday
más - more
mascotas - pets
matemáticas - math
materiales - materials
mayas - Mayan
mayor - older
maíz - corn
mañana - morning, tomorrow
me - me
media - half
medias - socks for soccer/football
Megapaca - clothing chain in Guatemala that sells both new and used clothing.
mejor - better
menos - less

mercado - market
mes - month
mesera/o(s) -
    server(s)
mexicano - Mexican
mi - my
milpa - corn
minutos - minutes
mira - s/he looks at,
    watches
miraba - I, s/he
    looked at, watched
miraban - they
    watched
mirar - to look at,
    watch
mochila - backpack
momento - moment
montañas - mountains
mucha/o(s) - many,
    much
muelle - dock
mujer - woman
mujeres - women
mundo - world
museo - museum
música - music
muy - very

N
nacional - national
necesario - necessary
necesitaba - I, s/he
    needed
necesitamos - we
    need(ed)

necesito - I need
negocio - business
negro(s) - black
niños - children
noche(s) - night(s)

nombre - name
normalmente -
    normally
norte - north
nos - us
nosotros - we
noticias - news
nubes - clouds
nueva/o - new
número(s) -
    number(s)
nutrición - nutrition

O
ocupada - busy
oficial - oficial
olas - waves
ONG = NGO - non
    governmental
    organization
organizaciones -
    organization
organización -
    organizations
organizando -
    organizing
o sea - in other words
otra/o(s) - other(s)

P

paca(s) - pallet(s)
padre - father
padres - parents
paga - s/he pays
palabra(s) - word(s)
Panajachel - largest town on the edges of Lake Atitlán
pantalones - pants
papá - dad
papel - paper
papi - daddy
para - for
parte(s) - parte(s)
partido - game
pasa - s/he passes, spends (time)
pasaban - they passed, spent time
pasear - to go for a walk, drive, ride
pavo - turkey
país - country
(qué) pena - what a shame
pensaba - I, s/he thought
pensar - to think
pensó - s/he thought
pequeña/o(s) - small
perfecta - perfect
pero - but
perro - dog
persona(s) - person(s)
piano - flat

pijama - pajamas
pisto - Guatemalan word for "money"
plato - plate, dish
plaza - town square
plástico - plastic
pocos - few
pone - s/he puts, places
por - for
porque - why
posible - possible
posición - position
práctica - practice
practicaba - s/he practiced
practicaban - they practiced
practicar - to practice
precio - price
preguntas - questions
preguntó - s/he asked
prepara - s/he prepares
(se) preparaba - s/he prepared her/himself
preparar - to prepare
primo(s) - cousins
probablemente - probably
problema - problem
produciendo - producing
producto(s) - product(s)

profesional(es) - professional(s)
profesora - teacher
pronuncia - s/he pronounces
pronunciaba - s/he pronounced
pronunciación - pronunciation
pronunciar - to pronounce
próximo - next
pueblo(s) - towns
puedes - you can, are able
puedo - I can, am able
puerta - door

Q

que - that
qué - what
quería - s/he wanted
quién(es) - who
quieren - they want
quieres - you want
quiero - I want
quince - fifteen

R

rápido - rapid
realmente - really
recepción - reception
recibían - they received
recibir - to receive

recreo - recess
refacción - snack
regalarle - to give to him (as a gift)
regalo - present, gift
regaló - s/he gave as a gift
región - region
regiones - regions
regresar - to return
repitan - repeat
respondieron - they responded
respondió - s/he responded
respuesta - answer
restaurante(s) - restaurant(s)
rica/o - rich, delicious
roja/o - red
ropa - clothings
rosado - pink
ruta - route

S

sábado - Saturday
sabes - you know
sabía - s/he knew
sabían - they knew
sacaba - s/he too out
sala - living room
salieron - they left, went out
salir - to leave, go out
saltó - s/he jumped

saludaban - they greeted
saludaron - they greeted
saludó - s/he greeted
san - saint (masc.)
santa - saint
sé - I know
(o) sea - in other words
seis - six
semana(s) - week(s)
(en) serio - seriously
servía - s/he, it served
  se servía - it was served
sí - yes
siempre - always
(lo) siento - I'm sorry
similar(es) - similar
simpáticos - nice
sistema - system
situación - situation
sol - sun
solo - only
solución - solution
son - there are
sonrisa(s) - smile(s)
sorprendido - surprised
sorpresa - surprise
su(s) - his, her, their
subían - they went up
subió - s/he went up
subir - to go up

sudaban - they sweat
sudadera - sweatshirt
suerte - luck
suficiente - sufficient
super- - super
sur - south
suroeste - southwest

T

tamales - a typical Mesoamerican dish made of *masa* or dough, which is steamed in a banana leaf
también - also
tarde(s) - afternoon
  buenas tardes - good afternoon
televisión - television
tengo - I have
tenía - I, s/he had
tenían - they had
terminó - s/he, it ended
ti - you
tía - aunt
tiempo - time
tiendas - stores
tiene - s/he, it has
tienes - you have
tierra - land
típico - typical
toda/o(s) - all
tomaban - they took
tomaron - they took

tomate(s) - tomato(es)
tomó - s/he took
trabaja - s/he works
trabajaba - I, s/he worked
trabajaban - they worked
trabajadores - workers
trabajando - working
trabajar - to work
trabajo - work
tradicional - traditional
traerle - to bring to him/her
tráfico - traffic
traigo - I bring
traje - name for the outfit worn by the indigenous people of Guatemala
tres - three
triste - sad
tu(s) - your
tú - you
turistas - tourists
turquesa - turquoise

U

un/a - a, an
unas/os - some
unidos - united
   Estados Unidos - United States

uniforme(s) - uniform(s)
uno - one

usa - s/he uses
usaba - I, s/he used
usaban - they used
usada/o - used
usar - to use

V

vamos - we go
vas - you go
veía - s/he saw
vecinos - neighbors
vegetales - vegetables
veían - they saw
veinte - twenty
ven - they see
vender - to sell
venderla - to sell it
vendía - s/he sold
vendían - they sold
vendió - s/he, it sold
venimos - we come
venir - to come
ventana - window
ver - to see
veranos - summers
verde - green
vez - time, instance
viajaba - s/he, it traveled
viajaban - they traveled
viajar - to travel

viaje - trip
vida - life
viento - wind
vio - s/he saw
visitaban - they
   visited
visitar - to visit
vista - view
vitaminas - vitamins
vivía - s/he lived
vivían - they lived
volcán - volcano
volcanes - volcanos
voy - I go
voz - voice

X

Xocomil - name given
   to the winds that
   crop up in the
   afternoons on Lake
   Atitlán

Y

y - and
ya - already
yo - I

Z

zapatos - shoes

Notes

Megapaca is a clothing chain in Guatemala that sells both new and used clothing (*ropa americana*) obtained from the United States. The items sold are shipped to Guatemala in *pacas*, or pallets of mixed clothing, accessories, home goods and toys. The products that arrive are sorted, organized and displayed for easy access in the over 50 stores in the country. Guatemalans have taken to shopping at these stores as they are orderly and clean. With the many discounts available, people are able to shop for good quality clothing that might not be accessible to them otherwise.

ABOUT THE AUTHOR

Jennifer Degenhardt taught high school Spanish for over 20 years and now teaches at the college level. At the time she realized her own high school students, many of whom had learning challenges, acquired language best through stories, so she began to write ones that she thought would appeal to them. She has been writing ever since.

Other titles by Jen Degenhardt:

La chica nueva | La Nouvelle Fille | <u>The New Girl</u> | Das Neue Mädchen | La nuova ragazza
La chica nueva (the ancillary/workbook volume, Kindle book, audiobook)
Salida 8 | *Sortie no. 8*
Chuchotenango | *La terre des chiens errants*
Pesas | *Poids et haltères*
El jersey | <u>The Jersey</u> | *Le Maillot*

La mochila | The Backpack | *Le sac à dos*
Moviendo montañas | *Déplacer les montagnes*
La vida es complicada | *La vie est compliquée*
La vida es complicada Practice & Questions (workbook)
Quince | Fifteen
Quince Practice & Questions (workbook)
El viaje difícil | *Un Voyage Difficile* | A Difficult Journey
La niñera
Era una chica nueva
Levantando pesas: un cuento en el pasado
Se movieron las montañas
Fue un viaje difícil
¿Qué pasó con el jersey?
Cuando se perdió la mochila
Con (un poco de) ayuda de mis amigos
La última prueba
Los tres amigos | Three Friends | *Drei Freunde* | *Les Trois Amis*
María María: un cuento de un huracán | María María: A Story of a Storm | Maria Maria: un histoire d'un orage
Debido a la tormenta
La lucha de la vida | The Fight of His Life
Secretos
Como vuela la pelota

@JenniferDegenh1

@jendegenhardt9

@puenteslanguage &
World LanguageTeaching Stories (group)

Visit www.puenteslanguage.com to sign up to receive information on new releases and other events.

Check out all titles as ebooks with audio on www.digilangua.co.

74

ABOUT THE COVER ARTIST

Marcus Estrellado is an 8th grader from Michigan. He is the eldest of three boys and comes from a family of first-generation Filipino immigrants. When he is not drawing, he enjoys listening to mostly HipHop music, and expanding that to sub genres of rap/HipHop. He also likes playing video games with his friends on Xbox. Any other free time he has between his activities and school, he likes to cook as a new learning experience.